Linda Bauer
Thorsten Krämer

Corona, ¿y ahora qué?

Linda Bauer
Thorsten Krämer

Corona, ¿y ahora qué?

Lo que deberías saber sobre el coronavirus

Editorial Académica Española

Imprint

Any brand names and product names mentioned in this book are subject to trademark, brand or patent protection and are trademarks or registered trademarks of their respective holders. The use of brand names, product names, common names, trade names, product descriptions etc. even without a particular marking in this work is in no way to be construed to mean that such names may be regarded as unrestricted in respect of trademark and brand protection legislation and could thus be used by anyone.

Cover image: www.ingimage.com

Publisher:
Editorial Académica Española
is a trademark of
International Book Market Service Ltd., member of OmniScriptum Publishing Group
17 Meldrum Street, Beau Bassin 71504, Mauritius

Printed at: see last page
ISBN: 978-620-0-38774-5

Tabla de contenido

1. Información de fondo

1.1 ¿Qué es el coronaviren

Los coronavirus son una familia de virus ARN que pueden infectar tanto a los animales como a los seres humanos, y en los seres humanos causan principalmente enfermedades de las vías respiratorias. Pueden correr como resfriados inofensivos, pero también pueden ser fatales.

El nombre se debe a la característica apariencia de corona de los virus de la corona (del latín "corona": corona, corona). Los coronavirus son también la causa del Síndrome Respiratorio Agudo Severo (SARS) y del Síndrome Respiratorio del Medio Oriente (MERS). Durante la mayor epidemia de SRAS hasta la fecha, en 2002 y 2003, murieron 774 personas en todo el mundo. El nuevo coronavirus que estalló en China a finales de 2019 también puede causar una neumonía grave en las personas infectadas. En febrero de 2020, el virus fue nombrado SARS-CoV-2 debido a su estrecha relación con el virus del SARS. Desde entonces, la enfermedad causada por el virus se conoce como COVID-19, y el curso de la enfermedad va de leve a fatal. La letalidad aún no ha sido aclarada de manera concluyente. Se están desarrollando vacunas contra el nuevo coronavirus SARS-CoV-2 (conocido por primera vez como 2019-nCoV) - también en el DZIF.

1.2 Ocurrencia

El **SARS-CoV-2** (Sars-CoV-2, "Severe *Acute Respiratory Syndrome Coronavirus 2*", "*Severe Acute Respiratory Syndrome* Coronavirus 2*"; anteriormente *2019-nCoV, 2019-novel Corona virus, novel Coronavirus 2019* y *Wuhan Coronavirus*) es el nombre de un coronavirus identificado recientemente en enero de 2020 en la ciudad china de Wuhan, provincia de Hubei. El virus causa la enfermedad denominada Covid-19 (para la *enfermedad del virus de la Corona 2019*) y es el desencadenante de la pandemia de COVID-19, que fue clasificada inicialmente por la OMS como "emergencia sanitaria de interés internacional" y se convirtió en una pandemia el 11 de marzo de 2020. En público, el virus es usualmente (después de la familia de los virus) conocido como *coronavirus nuevo, coronavirus nuevo, coronavirus, corona* solamente, u ocasionalmente (después de la enfermedad) como virus *covid-19*.

Aunque el patógeno también pertenece a los virus corona, no debe ser confundido con el virus corona MERS (MERS-CoV). El MERS-CoV ocurre predominantemente en la Península Arábiga y causa el Síndrome Respiratorio del Medio Oriente (MERS).

1.3. Tipos y especies de virus corona

Los virus de la corona pueden infectar tanto a los humanos como a varias especies animales y fueron descubiertos por primera vez a mediados de la década de 1960 del siglo pasado. Hoy en día, se conocen cientos de tipos de virus corona que, dependiendo de la variante del virus, pueden causar resfriados comunes e incluso enfermedades mortales en los seres humanos. Los coronavirus del SARS y del MERS estaban entre las variantes de virus particularmente patógenos que desencadenaron las epidemias en esa época.

La actual enfermedad pulmonar es causada por un nuevo virus corona llamado Sars-CoV-2 o COVID-19, que está genéticamente relacionado con el virus del SARS. En lo que respecta al origen, se supone que los primeros pacientes se infectaron en un mercado de Wuhan a principios de diciembre de 2019.

Se conoce un total de siete coronavirus patógenos para el ser humano (a febrero de 2020): Además del SARS-CoV[-1], el SARS-CoV-2 y el MERS-CoV, también existen el HCoV-HKU1, el HCoV-NL63, el HCoV-OC43 y el HCoV-229E; los cuatro últimos, sin embargo, sólo causan síntomas comparativamente menores.

Los científicos chinos han estudiado la estructura molecular del virus Sars-CoV-2 y lo han comparado con otros virus corona. Encontraron que el virus actual tiene dos cadenas diferentes: un tipo L y un tipo S.

Actualmente, el tipo L es el que se encuentra en la mayoría de las personas infectadas - se aplica al 70 por ciento. Por el contrario, sólo el 30 por ciento de los infectados padecen el tipo S, aunque los científicos creen que es el tipo más antiguo y que proviene de Wuhan.

El tipo L aparentemente se ha desarrollado a partir del tipo S. Como el tipo L probablemente se propaga más rápido, los científicos concluyen que podría ser el más agresivo, como lo pusieron cuidadosamente en su estudio.

1.4 Vectores

Según el Instituto Robert Koch, los coronavirus se identificaron por primera vez a mediados de la década de 1960. Pueden infectar a los humanos y a los animales. Siete representantes de este grupo causan enfermedades respiratorias en los humanos - desde resfriados comunes hasta enfermedades peligrosas o incluso potencialmente mortales como la sarna. Tres de ellos - incluyendo el nuevo coronavirus Sars-CoV-2 - son conocidos por causar síntomas severos.

Aún no se sabe de dónde vino el virus originalmente. Los murciélagos se consideran la fuente más probable del virus. Los primeros casos se notificaron en un mercado de la ciudad china de Wuhan, donde se vendían animales salvajes. Entre los posibles portadores del nuevo coronavirus se encuentran los murciélagos y los zorros voladores, que son consumidos por los seres humanos en ciertas regiones de Asia. Como el virus parece estar bien adaptado a los humanos, puede haber sido previamente adaptado a los humanos, dice el virólogo Christian Drosten del hospital Charité de Berlín. Trevor Bedford, investigador del *Centro de Investigación del Cáncer Fred Hutchinson* en Seattle, está trabajando en la decodificación del genoma del virus. Asume que el virus apareció primero en los murciélagos y luego mutó y se transmitió por primera vez a los humanos a través de portadores adicionales aún desconocidos a mediados de noviembre de 2019.

1.5 Vías de transmisión

Las autoridades de China informaron inicialmente de que todos los pacientes habían sido infectados en un mercado de animales. Los virus corona se encuentran predominantemente en el mundo animal. Sin embargo, inicialmente no se asumió que la transmisión a los humanos fuera probable.

La principal vía de transmisión parece ser la infección por gotitas. Teóricamente también es posible la infección de frotis y la infección a través de la conjuntiva de los ojos.

Infección por gotitas: Se puede suponer que la principal transmisión se produce a través de las gotitas.

Aerosol: no hay pruebas

Infección del lubricante: a) La transmisión por infección de frotis / infección a través de superficies contaminadas no está en principio excluida. No se sabe qué papel juega. A menudo se han identificado cadenas de infección que se explican mejor por la transmisión directa, por ejemplo, por medio de gotitas. b) Se identificaron muestras de heces positivas para la PCR (3-5) en pacientes de COVID-19. Para una infección a través de las heces, los virus deben ser capaces de replicarse, esto no se ha podido demostrar hasta ahora.

Los conjuntos como punto de entrada: En tres (de 63 examinados) pacientes con neumonía COVID-19, las muestras conjuntivas dieron positivo en la PCR (6). Esto no es una evidencia clara de que la conjuntiva pueda actuar como un portal de entrada, pero debe asumirse - especialmente en el campo de la medicina.

Transmisión vertical de la madre (infectada) a su hijo (antes, durante y después del nacimiento): Sólo hay unos pocos estudios que han investigado este tema (4, 7-11). En los recién nacidos de las madres COVID-positivas examinadas hasta ahora, no se pudo encontrar ninguna prueba de transmisión. Hay informes de casos individuales de recién nacidos en los que se ha detectado el SARS-CoV-2, pero en esos casos no está claro si la transmisión se produjo durante el embarazo, el parto o después del nacimiento, por lo que no se pueden extraer conclusiones.

Es concebible que las secreciones que contienen virus de la nasofaringe puedan llegar a los alimentos o a las mercancías. Sin embargo, los virus sólo pueden sobrevivir en estas superficies durante unos pocos días. La infección a través de alimentos y objetos que no se encuentran en la proximidad directa de un paciente es bastante improbable. El Instituto Federal de Evaluación de Riesgos y el Instituto Robert Koch no tienen conocimiento actualmente de ningún caso de infección a través de alimentos u objetos contaminados. Sin embargo, como los virus son destruidos por el calor, es aconsejable calentar los alimentos apropiados como precaución.

Se sabe por otros virus coronarios patógenos para el hombre que pueden sobrevivir durante cierto tiempo en superficies inanimadas como metal, vidrio o plástico. El tiempo de supervivencia depende de otros factores como la temperatura y la humedad ambiental (38-40). Por ejemplo, en un estudio sobre el HCoV-229E en plástico que perdió su infecciosidad después de 72 horas, el SARS-CoV-1 siguió siendo infeccioso hasta seis días en el mismo medio. Debido a la similitud estructural del SARS-CoV-1 y el SARS-CoV-2, cabe esperar una tenacidad similar en el caso del SARS-CoV-2. Los desinfectantes de superficies con una actividad virucida limitada comprobada son adecuados para la inactivación (40, 41). También se pueden utilizar desinfectantes con actividad virucida limitada PLUS y virucida (41).

1.6 ¿Cuán contagioso es el coronavirus

El virus se transmite fácilmente y lo más probable es que sea transmitido por personas que no padecen síntomas. El Instituto Robert Koch afirma que el patógeno es mucho más infeccioso de lo que se pensaba. Según los conocimientos actuales, el período de incubación es de dos a 14 días. El diario China Daily informa de un período de incubación medio de tres días. En casos raros, puede

8

transcurrir un período de hasta 24 días entre la infección y la aparición de los primeros síntomas. Sin embargo, los expertos no ven actualmente ninguna razón para ampliar el período de cuarentena anteriormente acostumbrado de 14 días.

1.7 ¿Cuán peligroso es el coronavirus

La letalidad describe el número de casos de fallecimiento como una proporción del número de casos (realmente) enfermos. No se dispone de datos fiables al respecto, porque se desconoce el número real de personas que caen enfermas y puede ser considerablemente mayor que el número de casos notificados (véase "Número real de personas enfermas"). Si el número real de casos se subestima en un factor de 4,5 a 11,1 (véase "Número real de casos"), es probable que ello afecte principalmente al número de casos (leves) que no queden cubiertos por el sistema de vigilancia. Esto probablemente también reduciría la mortalidad (que está más cerca de la realidad) por un factor similar.

Aunque el nuevo virus SARS-CoV-2 (antes 2019-nCoV) pertenece al mismo tipo de virus que el SARS, es una variante diferente según el investigador de virus Christian Drosten (Director del Instituto de Virología de la Charité Berlin). El número de casos actuales supera con creces el de la pandemia de sarampión en 2002/2003, cuando se diagnosticó la infección a un total de 8.000 personas, de las cuales aproximadamente una de cada diez murió. - Hasta la fecha, más de 78.000 personas en China han enfermado con el nuevo virus del SARS-CoV-2, y 2.715 han muerto por los efectos del virus (al 26.02.2020). Todos los muertos son de la provincia de Hubei. Según las autoridades, las muertes afectan sobre todo a las personas de edad, algunas de las cuales tienen graves afecciones preexistentes.

En la conferencia de prensa sobre COVID-19, celebrada el 3 de marzo de 2020, el Director General de la OMS habló de 90.893 casos notificados de COVID-19 y 3.110 muertes en todo el mundo, con una tasa de mortalidad de casos notificados del 3,4%.

En cambio, un estudio de Mike Famulare, del *Instituto de Modelización de Enfermedades,* citado por la OMS, estimó que la tasa de mortalidad real de las personas infectadas por COVID-19, es decir, la probabilidad estadística de que una persona infectada muera independientemente de las características individuales, se situaba entre el 0,4 y el 2,6%, siendo el valor más probable el del 0,94%.

A continuación se citan otros estudios que proporcionan indicios de letalidad.

En un estudio epidemiológico de 99 casos hospitalizados, al 25 de enero de 2020, el 11% había muerto, el 31% había sido dado de alta y el 58% seguía en el hospital. Este estudio es un primer indicio de que la mortalidad de los pacientes hospitalizados es de alrededor del 11%.

Un estudio publicado con antelación el 2 de febrero de 2020 estimó la letalidad de los casos confirmados. Se tuvo en cuenta tanto el tiempo entre el inicio de los primeros síntomas y el diagnóstico (5,1 días, IC 95%: 3,5-7,5) como el tiempo entre el inicio de los primeros síntomas y la muerte (15,2 días, IC 95%: 13,1-17,7). En el primer escenario, la epidemia se calculó sobre la base del índice de paciente del 8 de diciembre de 2019 y se calculó una letalidad del 4,6% (95% CI: 3,1-6,6). En el 2° escenario, se simuló una epidemia sobre la base de los casos exportados a otros países y se calculó una tasa de letalidad del 7,7% (IC del 95%: 4,9-11,3%). Los autores subrayan que la letalidad podría ser menor debido a los casos no diagnosticados.

En un estudio monográfico de un hospital de Wuhan se describen 138 pacientes con neumonía confirmada radiológica y virológicamente causada por el SARS-CoV-2 entre el 1° de enero y el 2 de febrero de 2020. Alrededor de una cuarta parte de los pacientes recibieron cuidados intensivos, principalmente a causa de un síndrome de dificultad respiratoria aguda. Esto requiere ventilación invasiva en aproximadamente la mitad de los casos. La edad media de los pacientes de cuidados intensivos era de 66 años, significativamente mayor que la del resto de los pacientes con una edad media de 51 años. Al final del estudio, cerca del 65 % de los pacientes seguían en el hospital. Entre los pacientes se encontraban 40 miembros del personal del hospital que estaban infectados y 17 pacientes del hospital que estaban infectados en la instalación. La mayoría de los pacientes recibieron oseltamivir y antibióticos. El 4,3% de los pacientes murieron al final del estudio. Cerca de la mitad recibió corticoesteroides. Los autores describieron esta terapia antiviral a partir de su observación como no efectiva.

La *misión conjunta de la OMS y China* a China, utilizando datos de Wuhan y otras regiones, concluyó el 24 de febrero de 2020 que entre el 2 y el 4% de los infectados murieron en Wuhan, y el 0,7% en otras regiones chinas.

2. Curso de la enfermedad y diagnóstico

2.1. síntomas

Una infección por el nuevo coronavirus puede provocar signos de enfermedad como fiebre y tos. También se ha informado de resfriados, falta de aliento, dolores musculares y articulares, dolor de garganta y dolores de cabeza. Algunas personas sufren náuseas, vómitos y diarrea.

El curso de la enfermedad varía enormemente, desde progresiones asintomáticas hasta neumonía grave con insuficiencia pulmonar y muerte. Por lo tanto, no se pueden hacer afirmaciones generalmente válidas sobre el curso "típico" de la enfermedad. De los casos acumulados registrados en China (n = 55.924 casos confirmados por laboratorio; situación al 20.02.2020), la fiebre y la tos son los síntomas más frecuentes (figura 1). Alrededor del 80% de las enfermedades eran de leves a moderadas. "Leve a moderado" se refiere a los pacientes con o sin neumonía, sin dificultad respiratoria, con un nivel de saturación de oxígeno en sangre superior al 93 % y sin infiltraciones pulmonares (diagnosticadas por TAC) que afecten a más de la mitad de los pulmones (12). El catorce por ciento tenía una situación grave (con falta de aire, saturación de oxígeno por debajo del 94% o infiltraciones pulmonares que afectaban a más de la mitad de los pulmones) pero no amenazaba la vida, y en el 6% el curso clínico era crítico para poner en peligro la vida (con insuficiencia pulmonar, shock séptico o insuficiencia de múltiples órganos). Fuera de Wuhan/Hubei y fuera de China, hay algunas observaciones que indican que la proporción de cursos suaves es superior al 80%. La proporción de enfermedades graves también depende de cómo se identificaron los casos. Bi informó de que la proporción de casos graves era sólo del 3% cuando se detectaba mediante el rastreo de contactos (13).

2.1.1. Nivel de gravedad

Clasificación clínica según la gravedad:

- Fácil y sin complicaciones (síntomas leves)
- Moderada (neumonía ligera)
- Neumonía severa, definida por fiebre o sospecha de infección respiratoria y una frecuencia respiratoria > 30/min, falta de aire severa o SpO2 <90% en el aire de la habitación.
- Crítico (SDRA, sepsis, shock séptico)

Al principio de la enfermedad, la mayoría de los pacientes muestran los siguientes síntomas (individualmente o en combinación):

- En su mayoría
    - Fiebre
    - Fatiga y cansancio general
    - Tos, productiva e improductiva, posiblemente disnea
- De vez en cuando:
    - dolores de cabeza y extremidades doloridas
    - Rinitis
    - diarrea de paserina
- rara vez el dolor de garganta

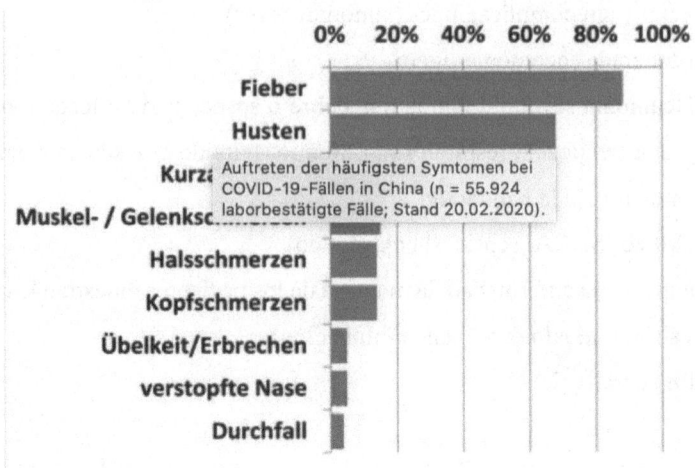

Abbildung 1: Auftreten der häufigsten Symtomen bei COVID-19-Fällen in China (n = 55.924 laborbestätigte Fälle; Stand 20.02.2020) (12).

Quelle: *Robert Koch-Institut*

2.1.2 Período de incubación

El período de incubación indica el tiempo que transcurre desde la infección hasta el comienzo de la enfermedad. Según la información del Instituto Robert Koch, el período de incubación puede durar hasta 14 días. También hay informes de investigadores chinos que extienden el posible período de incubación hasta 24 días. Un análisis de los primeros 425 casos notificados en Wuhan muestra un período de incubación de 5,2 días en promedio y una edad media de 59 años. Los autores asumen que las transmisiones de persona a persona ya tuvieron lugar en las proximidades del mercado de pescado a mediados de diciembre de 2019. Una evaluación estadística de varios informes de infecciones en un hogar u otras áreas estrechas definidas espacialmente (los llamados grupos) da como resultado un período de incubación de 5 a 6 días en promedio.

El intervalo de serie define el intervalo medio entre el comienzo de la enfermedad de un caso infeccioso y el comienzo de la enfermedad de un caso infectado por ella. El intervalo de serie suele ser más largo que el período de incubación, porque la infección suele ocurrir sólo cuando un caso se ha vuelto sintomático. El intervalo de serie fue de 7,5 en un estudio de 425 pacientes en promedio (mediana) y de unos cuatro días en otro estudio, basado en el análisis de 28 pares infectados/infectados.

La infección de otras personas durante el período de incubación es posible a pesar de un estado de salud confortable. Las pruebas de carga viral en la sangre de los pacientes individuales sugieren que algunos pacientes pueden seguir siendo temporalmente infecciosos incluso durante el proceso de curación con una mejora clínica. El informe de esta publicación, que se basa en la suposición de un paciente chino asintomático con índice, fue refutado por la investigación de la revista *Science* y cuestionado por el Instituto Robert Koch. En un grupo de 126 personas evacuadas de Wuhan a Alemania, dos pacientes mostraron resultados positivos en la RT-PCR del frotis faríngeo, que no presentaban ningún síntoma o sólo síntomas muy inespecíficos. También se describe el caso de un niño de diez años de edad, subjetivamente asintomático, en Shenzhen, cuyo recuento sanguíneo y signos de inflamación no se observaron en el laboratorio. Sin embargo, un examen más a fondo reveló hallazgos radiológicos compatibles con la neumonía, y se detectó ARN viral en el frotis de la garganta.

Además, hay otro informe de caso de Guangzhou de dos personas infectadas asintomáticamente con detección de virus en la nasofaringe. Los autores señalaron explícitamente el peligro de propagar el virus a través de pacientes sin síntomas en las primeras etapas de la infección. Las mediciones de la carga viral en la secreción nasofaríngea revelaron una carga viral igualmente alta entre los pacientes sintomáticos y asintomáticos. Basándose en investigaciones cuantitativas del virus en la secreción de la nasofaringe en pacientes con síntomas muy leves, los investigadores del departamento de virología de la Charité y del Instituto de Microbiología de las Fuerzas Armadas Alemanas concluyeron que incluso los síntomas muy leves de la enfermedad son ya altamente infecciosos. El Instituto Robert Koch también informó sobre casos individuales en los que los enfermos pueden haber contraído la enfermedad de

15

personas infectadas que no habían mostrado todavía ningún síntoma específico o ninguno. Un estudio de caso chino que analiza seis pacientes de una familia llega a la misma conclusión. La paciente 1 infectó a sus cinco parientes con SARS-CoV-2 sin mostrar ningún síntoma. Debido a la enfermedad en la familia, también estaba aislada y bajo supervisión médica. El virus fue detectado por RT-PCR en su caso después de 17 días negativos, después de 19 días positivos y después de 25 y 30 días nuevamente negativos. Hay varios pacientes que desarrollaron una carga viral detectable de nuevo después de la curación clínica y pruebas de PCR negativas. No está claro si se trata de una reinfección o una reactivación del virus. Una reinfección en los casos específicamente reportados por el Japón es ahora fuertemente dudada por los principales virólogos.

2.2 Diferencias: coronavirus - gripe - frío

Los coronavirus comunes suelen provocar un resfriado con tos y otros síntomas respiratorios. Los primeros síntomas son similares a los de la gripe. Pero el nuevo virus de la corona sólo afecta al tracto respiratorio inferior, por lo que estos virus no causan un resfriado. Pero otros coronavirus también pueden causar infecciones graves de las vías respiratorias inferiores y provocar neumonía. El nuevo coronavirus parece llevar a un curso más severo.

Las tres enfermedades no son tan fáciles de distinguir. El Covid-19 puede manifestarse a través de numerosos síntomas inespecíficos. Con mayor frecuencia, el tracto respiratorio inferior parece estar afectado. Los principales síntomas son fiebre, tos y falta de aliento. En los casos más graves puede producirse una neumonía. Por el contrario, el dolor de garganta y los estornudos son menos frecuentes.

La gripe se establece muy repentinamente. Los síntomas típicos son una tos seca y una fiebre repentina, a menudo alta, una fuerte sensación de enfermedad, así como dolores de cabeza, musculares y articulares. Sin embargo, para el lego es difícil distinguirlo de una infección por COVID-19. Un indicio importante es, por lo tanto, un posible contacto previo con una persona que sufra del virus de la corona. Sólo la prueba del virus de la corona puede proporcionar un resultado fiable.

El resfriado común, por otro lado, viene insidiosamente, con dolor de garganta, tos viscosa, temperatura ligeramente elevada, fatiga y dolores de cabeza leves a moderados. La tos suele aparecer más tarde. Las personas que están resfriadas no se sienten tan débiles como las que tienen gripe.

Symptome von COVD-19, Grippe und Erkältung

Symptome	COVID-19	Grippe	Erkältung
Trockener Husten	+++	+++	+
Fieber	+++	+++	-
Schnupfen	-	++	+++
Halsschmerzen	++	++	+++
Atemnot	++	- -	- -
Kopfschmerzen	++	+++	-
Gliederschmerzen	++	+++	+++
Niesen	- -	- -	+++
Schlappheit	++	+++	++
Durchfall	-	++	- -

+++ Häufig   ++ Manchmal   + Wenig   - Selten   - - Nicht

Source: WHO, CDC

2.3. Diagnóstico

En función de la gravedad del cuadro clínico, además del diagnóstico de la COVID-19, deben considerarse también diversos diagnósticos diferenciales (por ejemplo, gripe, otros virus respiratorios, superinfecciones bacterianas). El SARS-CoV-2 se detecta a partir de un hisopo de garganta profunda, esputo o del agua de enjuague de la faringe por medio de la PCR. En caso de que el resultado de la prueba sea negativo y exista una sospecha clínica urgente, se deberá analizar una segunda muestra. En pacientes en el curso posterior de la enfermedad (neumonía, SDRA), el frotis de garganta puede estar ya libre de virus otra vez, mientras que la carga viral infecciosa todavía existe en el tracto respiratorio inferior, por lo que la recolección de secreción traqueobronquial (succión, no BAL) puede ser necesaria. La sangre y la orina se consideran no infecciosas en los pacientes con COVID-19.

A menudo se producen leucopenia con linfopenia, trombopenia, así como aumentos en los niveles de CRP, transaminasa y LDH. Sin embargo, rara vez se produce un ligero o como mucho un ligero aumento de la procalcitonina. Las elevaciones de troponina son probablemente una expresión frecuente de la miocardiopatía asociada a COVID19, raramente de un infarto de miocardio.

2.3.1. Material de muestra

1. **Para el diagnóstico de COVID-19 (www.rki.de/covid-19-diagnostik):**

- Detección del patógeno por PCR a partir de un hisopo nasal/faríngeo profundo, agua de enjuague faríngeo, esputo y/o secreción traqueobronquial, repetir si es necesario en caso de resultado negativo y sospecha persistente (ver arriba)
- No se dispone habitualmente de serologías con fines de diagnóstico fuera de los estudios; puede ser útil la conservación de muestras de suero para una evaluación posterior

2. **Para el examen bacteriológico de diagnóstico diferencial:**

- Reducción de varios cultivos de sangre (cada uno aeróbico + anaeróbico) a E+R
- Esputo, BAL, secreción traqueobronquial en E+R
- Diagnóstico de orina para neumococos, legionela

18

3. Diagnóstico adicional:

- Muestras de sangre con recuento sanguíneo, química clínica dependiendo del curso de la enfermedad.

2.3.2. Imágenes

En las radiografías de tórax convencionales, los cambios se hacen visibles en el 50-60% de los pacientes. En el examen de TC del pulmón, se encuentran cambios en alrededor del 85% de los casos, en el sentido de vaso de leche, compresiones bilaterales o, menos frecuentemente, unilaterales y/o proliferación de dibujo intersticial.

3. Personas y grupos de riesgo afectados

3.1 Los sujetos de los datos

Los virus de la corona pueden infectar tanto a los humanos como a varias especies animales y fueron descubiertos por primera vez a mediados de la década de 1960 del siglo pasado. Una evaluación de los artículos científicos ingleses y chinos publicados a mediados de febrero de 2020 concluye que todos los grupos de población pueden ser infectados. De los infectados, el 72% tenía 40 años o más y el 64% eran hombres. El 40% de los pacientes tenían enfermedades crónicas como diabetes mellitus e hipertensión.

Según el Instituto Robert Koch, las personas mayores de 60 años y las personas con enfermedades subyacentes tienen el mayor riesgo de desarrollar una enfermedad grave. Las enfermedades subyacentes de alto riesgo son, por ejemplo, las enfermedades cardiovasculares crónicas, las enfermedades pulmonares o los trastornos metabólicos. La mayoría de las muertes ocurridas en China hasta la fecha se producen entre personas mayores de 80 años, y los hombres se ven afectados con mayor frecuencia que las mujeres. La OMS informa de que la enfermedad se presenta comparativamente rara vez en los niños y suele ser leve. Sólo una proporción muy pequeña de los niños y adolescentes infectados están grave o críticamente enfermos. Sin embargo, la base de datos no es aún suficiente para determinar si los niños son generalmente menos susceptibles al virus. Según la OMS, no parece que las mujeres embarazadas tengan un mayor riesgo de sufrir un curso grave de la enfermedad.

En un estudio de seguimiento de la enfermedad vírica similarmente grave MERS, que se produjo principalmente en los países árabes y que también ataca a los pulmones, se identificó el tabaquismo como un factor de riesgo independiente. El Instituto Robert Koch (RKI) llega a la misma conclusión en su último resumen sobre COVID-19 bajo el título "Grupos de riesgo para cursos severos".

La autoridad china de control de enfermedades CCDC ha evaluado todos los datos disponibles sobre los casos de la enfermedad COVID-19 en China hasta el 11 de febrero de 2020 y también los ha publicado internacionalmente. De los 44.672 casos confirmados, la distribución de los grupos de edad es la siguiente: 3 % 80 años y más, 87 % 30-79 años, 8 % 20-29 años, 1 % 10-19 años y 1 % menores de 10 años. Entre las personas infectadas de 70 a 79 años de edad y aún más entre las personas de 80 años de edad y más, la probabilidad de morir a causa de COVID-19 es mayor que el promedio.

3.1.1 Grupos de riesgo para cursos severos

La OMS anunció con su *Informe de Situación - 18* del 7 de febrero de 2020 por ejemplo para China con 31.211 personas infectadas confirmadas 4.821 pacientes (15,4 %) con cursos severos de la enfermedad. En el momento del diagnóstico, todavía no es necesario saber si el paciente está gravemente enfermo o incluso muere.

Aunque los cursos graves de la enfermedad suelen ocurrir en personas sin enfermedad previa, los siguientes grupos de personas tienen un mayor riesgo de cursos graves de la enfermedad:

- personas de edad (con un riesgo cada vez mayor de sufrir una enfermedad grave a partir de los 50 ó 60 años)
- Fumadores
- Personas con ciertas condiciones preexistentes:
  - del corazón (por ejemplo, enfermedad coronaria),
  - los pulmones (por ejemplo, asma, bronquitis crónica),
  pacientes con enfermedades hepáticas crónicas)
  - Los pacientes con diabetes mellitus
  - pacientes con cáncer.

- Pacientes con un sistema inmunológico debilitado (por ejemplo, debido a una enfermedad asociada a una deficiencia inmunológica o por tomar medicamentos que debilitan el sistema inmunológico, como la cortisona).

Mujeres embarazadas: a) Adquisición de la infección: Actualmente no hay datos sobre la susceptibilidad a la infección por el SARS-CoV-2 en las mujeres embarazadas. Debido a la adaptación fisiológica y a los cambios inmunológicos que se producen durante el embarazo, no puede excluirse una mayor susceptibilidad a la infección por el SARS-CoV-2. b) Gravedad de la progresión de la enfermedad en las mujeres embarazadas: Sólo hay unos pocos estudios hasta la fecha en los que se ha examinado a mujeres embarazadas con COVID-19 (7, 9, 11, 15, 16). Estos estudios disponibles, así como los resultados del informe de la "Misión Conjunta OMS-China sobre la Enfermedad Coronavirus 2019" (12) no dan ninguna indicación de una evolución más grave de la COVID-19 en las mujeres embarazadas que en las personas no embarazadas. Es posible que el aumento del riesgo de un curso grave sólo pueda investigarse de manera fiable en estudios basados en la población. Para más información, incluyendo información sobre COVID-19 en el embarazo, vea el RKI FAQ.

En un estudio con nueve pacientes que habían sufrido una infección por SARS-Cov2 en el último tercio del embarazo, se comprobó que los nueve niños estaban libres de virus después del nacimiento por cesárea. Los autores del estudio concluyeron que el virus no se transmitió en el útero. Al 6 de febrero de 2020, las autoridades sanitarias chinas habían registrado sólo nueve lactantes en los que se encontró una detección positiva del virus. Los autores del estudio consideraron como posibles causas de este bajo número un posible número elevado de cursos de bajos síntomas entre los niños, así como un déficit en el sistema de notificación.

Niños no nacidos: Hasta ahora, hay muy pocos datos sobre este tema, especialmente no hay datos a largo plazo, por lo que no se pueden hacer declaraciones válidas sobre este tema. En principio, la fiebre alta durante el primer

22

trimestre del embarazo puede aumentar el riesgo de complicaciones y malformaciones.

Niños: Hay muy pocos datos disponibles sobre el desarrollo de los niños. Según estudios anteriores, el curso en los niños parece ser más bien leve e inespecífico.

4. Medidas de protección

A fin de poder protegerse lo mejor posible de la infección con la nueva enfermedad pulmonar de China llamada "Covid-19", hay que saber cómo se produce la infección: el virus SARS-CoV-2 (antes llamado temporalmente 2019-nCoV) se transmite de persona a persona. Los virus de la corona se transmiten por medio de gotitas al toser, por ejemplo, o por medio de una infección de frotis al tocar objetos contaminados en los que hay virus, como manijas de puertas o interruptores de luz, y luego al tocarse la boca, la nariz o los ojos. Sin embargo, no se sabe que los virus corona se infecten a través de objetos.

4.1 Higiene adecuada

Al igual que en el caso de la gripe y otras enfermedades respiratorias, la observancia de las normas sobre la tos y los estornudos y una buena higiene de las manos protegen contra la transmisión del nuevo coronavirus, incluyendo al menos 20 segundos de lavado de manos con jabón: antes y después de comer, antes y después del contacto con otras personas, después de estornudar/toscar. Además de una buena higiene de las manos, también hay que mantenerse a distancia de las personas que tosen y estornudan. También se debe evitar dar la mano.

4.1.1. Observar las normas de conducta al toser y estornudar

Los afectados deben proteger a los demás estornudando y tosiendo en el hueco de su brazo. Todos los que están resfriados deberían seguir esta etiqueta de todos modos:

- Toda persona que tenga que toser o estornudar debe mantenerse a una distancia mínima de 1,5 metros de otras personas y darse la vuelta.
- Utilice un pañuelo desechable y úselo sólo una vez. Los pañuelos de papel usados no deben arrojarse simplemente al cubo de basura abierto, sino que

deben recogerse, por ejemplo, en una bolsa de plástico sellable o en un recipiente con tapa y luego desecharse. No lavar los pañuelos usados a menos de 60 grados.

- Si tienes que estornudar y no tienes un pañuelo, lo mejor es estornudar en el codo del brazo.

- Lávese bien las manos después de sonarse la nariz, estornudar o toser.

- Usar máscaras quirúrgicas: Las personas infectadas reducen el riesgo de infección para los demás debido a las propiedades de filtrado de las máscaras.

4.2 Desinfección

Una desinfección básica de las superficies en el propio hogar no suele ser necesaria, pero puede ser útil, al igual que la desinfección de las manos, si hay personas enfermas en el hogar. Por lo demás, un lavado de manos a fondo con jabón es suficiente. Hay numerosos desinfectantes, pero no todos los desinfectantes son efectivos contra los virus corona. No es suficiente si dice que mata el 99 por ciento de todas las bacterias. La protección contra los virus debe mencionarse explícitamente. El Instituto Robert Koch ofrece una visión general de los desinfectantes probados y su aplicación. Hay tres categorías. La primera categoría es "virucida limitada", la segunda "virucida limitada PLUS" y la tercera "virucida simple". Para los virus corona, la variante más baja, es decir, "virucida limitada", es suficiente. Los agentes para la desinfección de superficies contra los virus corona contienen, por ejemplo, formaldehído u otros aldehídos. Al desinfectar las superficies, es importante asegurarse de que la solución desinfectante se utilice en forma suficientemente concentrada. Se utilizan soluciones alcohólicas para la desinfección de las manos. Para ello se deben tomar al menos tres mililitros de desinfectante, esparcirlo completamente en las palmas de las manos y dejarlo actuar durante 30 segundos y dejarlo secar al aire.

4.3. Equipo de protección

Además de una mayor higiene, como el lavado frecuente de las manos y el uso de desinfectantes, el Instituto Robert Koch también recomienda un equipo de protección adecuado.

Llevar un respirador FFP3, gafas protectoras, guantes y un traje protector podría formar parte de la vida cotidiana.

En varios países, el temor al virus ha llevado a una venta parcial de mascarillas en farmacias y tiendas de bricolaje. Sin embargo, los beneficios de dicha máscara son controvertidos.

Si una persona que sufre una infección aguda de las vías respiratorias tiene que desplazarse por lugares públicos, puede ser aconsejable que esa persona lleve una protección bucal-nariz (por ejemplo, un protector bucal quirúrgico) para reducir el riesgo de infectar a otras personas con gotas producidas por la tos o los estornudos (protección ajena). Las personas que están en contacto directo con los pacientes también pueden protegerse con máscaras quirúrgicas.

Para una eficacia óptima, es importante que el protector de la boca y la nariz esté correctamente colocado. Debe ser usado firmemente y cambiado cuando se moje (el protector bucal pierde su función inmediatamente tan pronto como se moja). No debe ser movido (ni siquiera inconscientemente) mientras se lleva puesto. Pida a un profesional médico que le aconseje si esta medida es aconsejable en su caso particular, qué mascarilla le conviene y cómo ponerse o cambiarse la mascarilla correctamente. Un protector bucal eficaz debe cumplir los requisitos adecuados. Esto incluye la permeabilidad de las partículas y mucho más.

Por otra parte, no hay suficientes pruebas de que el uso de un protector bucal reduzca el riesgo de infección para una persona sana que lo lleve. Según la OMS, el uso de una máscara en situaciones en las que no se recomienda puede crear una falsa sensación de seguridad. Esto puede llevar a que se descuiden medidas de higiene claves como una buena higiene de las manos. Sin embargo, los que quieren proteger su entorno de su propia infección pueden evitar que las gotas de saliva cargadas de virus vuelen lejos del aire que respiran usando una máscara.

El equipo de protección ahora también incluye guantes de protección. Cualquiera que compre guantes debe asegurarse de que los guantes también están certificados según la norma (EN ISO 374-5:2016). Sólo entonces los guantes son realmente adecuados para su uso en la epidemia de la corona. El uso de guantes para la higiene se recomienda ciertamente al personal de enfermería o incluso a los familiares en el sector privado que manejan fluidos corporales y excrementos. Después de todo, esto es parte de las normas de higiene habituales en las clínicas.

Durante la aplicación, todo el mundo debe ser consciente de que los gérmenes permanecen en las manos, aunque estén protegidas por guantes. Por lo tanto, las manos no deben acercarse a la cara. La desinfección de los guantes es posible, pero especialmente en relación con el coronavirus el período de uso de los guantes debe ser lo más corto posible. Por lo tanto, los guantes usados deben cambiarse con frecuencia y de manera profesional. Medios profesionales: No tocar las zonas contaminadas. Sin embargo, lávese las manos frecuentemente después y desinféctelas si es necesario.

4.4 Nutrición, medicamentos y remedios caseros

Es concebible que las secreciones que contienen virus de la nasofaringe puedan llegar a los alimentos o a las mercancías. Sin embargo, los virus sólo pueden sobrevivir en estas superficies durante unos pocos días. La infección a través de alimentos y objetos que no se encuentran en la proximidad directa de un paciente es bastante improbable. El Instituto Federal de Evaluación de Riesgos y el Instituto Robert Koch no tienen conocimiento actualmente de ningún caso de infección a través de alimentos u objetos contaminados. Sin embargo, como los virus son destruidos por el calor, es aconsejable calentar los alimentos apropiados como precaución.

- No existen remedios homeopáticos y/o naturales que supuestamente previenen la infección del coronavirus.
- Tampoco hay otros productos preventivos que se supone que ayuden "específicamente" o "particularmente bien" contra el virus.
- Los ingredientes de alimentos como la cebolla, el ajo o el jengibre son básicamente saludables y pueden ayudarnos a mantenernos en forma. Sin embargo, no ayudan contra el virus de la corona, ni tampoco el aceite de sésamo. Se dice que los aceites que dan al ajo sus secuelas de olor intenso tienen propiedades antibacterianas o antivirales y previenen las infecciones de las vías respiratorias. Dado que el virus de la corona también entra en nuestro cuerpo como una infección de gotitas a través de las vías respiratorias, este efecto del ajo es por lo tanto interesante. Sin embargo, el efecto es tan pequeño que no se debe confiar en el tubérculo sino en muchos otros métodos mucho más eficaces que protegen contra la infección del virus de la corona.
- Los antibióticos no proporcionan protección, sólo ayudan contra las bacterias.
- Tampoco es una protección probada el enjuagar regularmente la nariz con agua salada.

4.5 Cuarentena

A fin de evitar de la mejor manera posible la propagación del nuevo coronavirus, las autoridades de diversos países afectados ordenan que los hoteles, barcos, ciudades e incluso regiones enteras sean puestos en cuarentena durante cierto período de tiempo.

La cuarentena sirve para protegernos a todos de la infección con el nuevo coronavirus. Se trata de un aislamiento temporal de las personas sospechosas de estar infectadas o de las personas que puedan estar excretando el virus.

Hay varias opciones para la cuarentena: los afectados que no tienen síntomas o sólo síntomas leves pueden generalmente quedarse en casa. Los pacientes que tienen que ir al hospital están aislados allí. En algunos países, como China o Italia, en los que la infección se está propagando masivamente, se están poniendo en cuarentena pueblos y ciudades enteros. La Ley de Protección contra las Infecciones es el factor decisivo para las regulaciones de cuarentena.

Los pacientes infectados, especialmente los que tienen síntomas graves, deben ser tratados rápidamente y aislados temporalmente. Si, por ejemplo, un piloto se entera de que hay una persona infectada que sigue en la aeronave, se le pide que desvíe la aeronave a un aeropuerto específico: En Alemania hay cinco de los llamados "aeropuertos designados" a los que hay que dirigirse en tal caso. Hay habitaciones disponibles para aislar a las personas infectadas. Después, el departamento de salud pública se asegura de que un paciente sea tratado rápidamente en una clínica.

Cuarentena doméstica

La cuarentena nacional es una medida de precaución específica que se levanta rápidamente una vez que se ha descartado una sospecha. El Ministerio Federal de Salud y el Instituto Robert Koch dejan claro que no hay razón para preocuparse por esta medida de precaución.

Las autoridades se refieren a los casos registrados, por un lado, como "sospechosos de infección" y, por otro, como "desertores escolares". Las mismas regulaciones de cuarentena se aplican a ambos.

Los excrecionistas son personas que llevan el patógeno en su interior y cuyas excreciones (orina, heces, saliva) pueden, por tanto, ser una fuente de infección para el público en general. Esto se aplica incluso si no muestran ningún síntoma de la enfermedad o son sospechosos.

Cualquiera que se pueda suponer que ha ingerido el patógeno sin estar enfermo, sin sospechar que está enfermo o que ha sido eliminado es sospechoso **de infección**", explica el Instituto Robert Koch.

4.6 Normas de conducta

Esta es la mejor manera de protegerse:

- Lávese las manos con regularidad y a fondo. Además de lavarse las manos, se pueden utilizar desinfectantes. Los productos adecuados se pueden obtener en las farmacias. Según el Instituto Robert Koch, para la desinfección química deben utilizarse desinfectantes químicos de eficacia probada. Se etiquetan como "virucidas limitadas" (eficaces contra los virus envueltos), como "virucidas limitadas PLUS" o como "virucidas".

- Quédate en casa tanto como puedas. En particular, restringir los encuentros personales con personas mayores, muy mayores o enfermos crónicos para su protección. En su lugar, haga más uso de la comunicación por teléfono, correo electrónico, chats, etc.

- Ventile todas las habitaciones comunes con regularidad y evite tocarlas, como dar la mano o abrazarse.

- Si es necesario el contacto en lugares públicos, asegúrese de mantener una distancia con los demás. Esto es especialmente importante para las personas visiblemente enfermas, especialmente con síntomas respiratorios.

- Quédese en casa si usted mismo está afectado y, si es necesario, póngase en contacto con su médico primero por teléfono.

- Si una persona de su hogar está enferma, trate de asegurarse de que haya una separación física y una distancia suficiente de los demás miembros del hogar.

- Trabaja desde casa si es posible, en consulta con el empleador. Mantén las reuniones pequeñas y cortas y en una sala bien ventilada. Manténgase a una distancia de 1 a 2 metros de otras personas y absténgase del contacto personal. Si es posible, no coma sus comidas en comedores o restaurantes (en el mejor de los casos solo, por ejemplo, en la oficina) y si es así, no durante las horas punta.

- Si es posible, no utilice el transporte público, pero prefiera ir en bicicleta, caminar o conducir su propio coche.

- Póngase mascarillas quirúrgicas (mascarillas buco-nasales): Esto es útil en presencia de personas infectadas, pero no en lugares públicos. Las máscaras deben ser usadas firmemente.

- Si es posible, evite los viajes privados y de negocios, por ejemplo en autobús, tren, barco o avión.

- Evite también visitar grandes eventos o lugares con gran afluencia de gente (por ejemplo, eventos deportivos, piscinas, centros comerciales, teatros, clubes, conciertos, etc.).

- Sólo visite las instituciones públicas en la medida en que sea absolutamente necesario (por ejemplo, oficinas, administraciones, autoridades).

- Evite las visitas a pubs, cafés y restaurantes si es posible y posponga las fiestas privadas más grandes si es posible, y por lo demás respete estrictamente las normas de higiene.

- No hagas compras en horas punta, sino cuando las tiendas o farmacias estén menos concurridas o utilicen los servicios de recogida y entrega.

- ¡Ayuda a los que necesitan ayuda! Proporcionar a los parientes o vecinos ancianos o enfermos crónicos y a las personas solteras y necesitadas alimentos y artículos de uso diario.

La Organización Mundial de la Salud (OMS) recomienda además

- Evite tocarse los ojos, la nariz o la boca;

- Quédese en casa cuando se sienta enfermo (excepto para ver a un médico), incluso si tiene síntomas leves (como secreción nasal o dolor de cabeza);

- En caso de fiebre, tos y dificultad para respirar, consulte a un médico y llame primero.

Si alguien no puede actualmente posponer un viaje a China u otras zonas de riesgo de corona por razones profesionales u otras razones urgentes, es

31

importante seguir todas las medidas recomendadas para protegerse contra la infección del nuevo virus.

10 Verhaltensregeln, die Sie jetzt wegen des Coronavirus beachten sollten

Hände waschen
Regelmäßig und gründlich,
mit Wasser und Seife,
mindestens 20 Sekunden

Hustenetikette beachten
Husten und niesen
Sie nicht in die Hand,
sondern in die Armbeuge

Oberflächen nicht anfassen
Alternativ im Fahrstuhl etc.
mit einem Stift auf den
Knopf drücken oder Treppen
steigen und mit dem Arm
die Türen öffnen

Abstand zu anderen Menschen
Auch wenn diese keine Symptome
zeigen, Abstand zu Menschen halten
(eineinhalb Meter sind ausreichend)

Menschenmengen meiden
Konzerte, Messen und andere
Großveranstaltungen erhöhen
das Ansteckungsrisiko

Auf Händeschütteln verzichten
Begrüßen Sie Menschen lieber durch
ein freundliches Winken mit
eineinhalb Metern Abstand

Nicht direkt zum Arzt
Wer sich krank fühlt, sollte lieber
zu Hause bleiben und den Arzt
zunächst telefonisch kontaktieren

Einige Vorräte lagern
Hamsterkäufe sind nicht nötig.
Es ist aber sinnvoll, einige Vorräte
an haltbaren Lebensmitteln für
ein paar Tage zu Hause zu haben

Impfen
Es gibt zwar noch keinen Impfstoff
gegen das Coronavirus SARS-CoV-2,
Um eine Doppelinfektion zu verhindern,
ist es aber sinnvoll, sich gegen Grippe
impfen zu lassen (empfohlen für
Schwangere, über 60-Jährige
und chronisch Kranke)

Ruhe bewahren
Die Infektion verläuft in den
meisten Fällen harmlos

t-online.de

5. Métodos de tratamiento

Actualmente no existe una terapia dirigida contra el virus. El tratamiento de la enfermedad es sintomático. Una vez hecho el diagnóstico, en muchos casos se ordena el reposo en cama y la administración de líquidos por vía intravenosa. También se pueden administrar preparados de cortisona contra la inflamación y la hinchazón. Dependiendo de la gravedad del curso de la enfermedad, se utilizan en su lugar medidas de apoyo como la administración de oxígeno, el equilibrio del balance de líquidos y la administración de antibióticos si hay infecciones bacterianas acompañantes. Además, no todas las enfermedades progresan severamente después de la infección con COVID-19. En los casos que se han conocido en Alemania, los síntomas del resfriado han sido hasta ahora el foco principal.

Hasta ahora, no hay agentes antivirales que funcionen contra la enfermedad ni protección de la vacunación. Los análisis iniciales sugieren que el nuevo virus tiene similitudes estructurales con el virus Sars y también utiliza sitios de unión similares en el cuerpo para acoplarse. Los virólogos del hospital Charité de Berlín han desarrollado la primera prueba diagnóstica que permite hacer un rápido diagnóstico en caso de enfermedad con el virus.

5.1 Tipos de terapia y medidas

5.1.1 Medidas generales para la atención de pacientes hospitalizados

- Terapia de fluidos restrictivos (ya que esto puede empeorar la oxigenación), optimización nutricional
- Vigilancia estrecha de los parámetros vitales para detectar progresiones severas en una etapa temprana
- Consideración de las comorbilidades (terapias necesarias a largo plazo, restricciones de la terapia?)

- La administración de oxígeno (nasal, máscara, posiblemente de alto flujo), según sea necesario, tiene como objetivo la SpO2 > 90% en adultos no embarazadas, > 92 - 95% en mujeres embarazadas (directrices de la OMS) CAVE: Formación de aerosoles a alto flujo de oxígeno
- Monitoreo regular de los parámetros de inflamación, función renal, valores hepáticos, coagulación. Más imágenes dependiendo del curso clínico.
- Si es necesario, la recolección de varios cultivos de sangre (cada uno aeróbico + anaeróbico)
- Materiales respiratorios según el curso clínico (E+R, CoVID-19) -> según la OMS-
- Guía cada 2-4 días Diagnóstico sobre COVID-19

5.1.2 Terapia antiviral

Se están examinando numerosas terapias antivirales en el contexto del SARS-CoV2, incluso por la OMS. En la actualidad, todavía se dispone de muy pocos datos para hacer una recomendación de terapia en Alemania. Por lo tanto, el uso de la terapia antiviral sólo debe considerarse en las formas graves de la enfermedad, caso por caso. Incluso para las formas graves de COVID-19, no hay pruebas suficientes para recomendar una terapia. Por lo tanto, antes de que la terapia antiviral como un intento individual de curar la enfermedad, la relación beneficio/riesgo debe ser cuidadosamente sopesada. Preferiblemente, los pacientes deben ser tratados en el marco de estudios clínicos.

El Grupo de Trabajo Permanente de Centros de Competencia y Tratamiento de Enfermedades causadas por Agentes Altamente Patógenos (STAKOB) participa con sus centros en estudios clínicos. En el caso de pacientes gravemente afectados, se debe contactar con los centros de STAKOB para discutir cada caso individual y asesorar sobre posibles terapias adicionales. Los datos de contacto de todos los centros STAKOB se encuentran en www.rki.de/stakob. Un suministro de drogas experimentales para un ensayo de curación individual puede ser iniciado en una emergencia a través del Instituto Robert Koch/IBBS.

5.1.3 Terapia antibiótica

En los pacientes en los que se sospeche que hay una superinfección bacteriana y/o una evolución séptica, debe iniciarse inmediatamente una terapia antibiótica calculada, en caso de sepsis en el plazo de una hora. En ausencia de detección de patógenos y de procalcitonina normal, la terapia antibiótica debe terminarse en un plazo de 48 horas. No se recomienda la administración profiláctica de antibióticos sin evidencia de infección bacteriana.

5.1.4 Otras terapias

No se administrarán corticoides sin una indicación clara. En el tratamiento de pacientes con enfermedades graves y críticas, los siguientes puntos deben ser reevaluados regularmente:

* Administración temprana de oxígeno, posiblemente ventilación no invasiva o invasiva,
* ECMO si es necesario, contacto temprano con el centro regional de ECMO
* Consejos para situaciones de ventilación difícil
* Reconocer y tratar las posibles complicaciones a tiempo
* Prevención de las infecciones secundarias
* La terapia de la sepsis según las directrices

En la página web de la Sociedad Alemana de Medicina Intensiva Interna (DGIIN) puede encontrar "Recomendaciones para la terapia de cuidados intensivos de pacientes con COVID-19". (www.dgiin.de)

En el sitio web de la OMS también se puede encontrar más orientación sobre el tratamiento clínico de los pacientes con COVID-19: https://www.who.int/docs/default-source/coronaviruse/clinical-management-of-novel-cov.pdf.

5.2. ¿Hay vacunas contra el nuevo coronavirus?

En la actualidad no existe una vacuna contra el nuevo coronavirus, aunque se ha avanzado en su desarrollo.

Según la OMS, en la actualidad hay más de 30 vacunas candidatas en desarrollo que se basan en diferentes plataformas (por ejemplo, vacunas de ADN, ARN, subunidades de proteínas o vectores). Todos estos candidatos se encuentran actualmente en la fase de desarrollo preclínico, y los promotores individuales ya han anunciado el comienzo de los ensayos de la fase clínica 1 en abril/mayo.

En China, sin embargo, según los medios de comunicación, una primera vacuna candidata será probada en un ensayo clínico a partir de finales de abril de 2020. Sin embargo, los expertos no esperan que haya una vacuna disponible antes de fin de año.

5.3 Medicamentos terapéuticos

No sólo se están desarrollando vacunas contra la pandemia con el coronavirus SARS-CoV-2, sino que también se están probando drogas.

Aunque el desarrollo de vacunas contra el nuevo coronavirus SARS-CoV-2 avanza a un ritmo sin precedentes, es poco probable que estén disponibles para su vacunación masiva ya en 2020. Por lo tanto, se abrigan esperanzas de encontrar medicamentos para tratar a los ya infectados, medicamentos que ayuden a garantizar que la infección respiratoria causada por este virus, el Covid-19, no se convierta en una amenaza para la vida y que disminuya rápidamente.

Las esperanzas se concentran en particular en los medicamentos que ya han sido aprobados para otra enfermedad o que están por lo menos en desarrollo. Sólo habría que convertirlos, lo que sería más rápido que un nuevo desarrollo básico.

De hecho, ya se está probando la idoneidad de varios de los medicamentos existentes para combatir la actual enfermedad de la corona. Normalmente pertenecen a uno de los tres grupos siguientes:

- **Medicamentos antivirales** desarrollados originalmente para el VIH, el Ébola, la Hepatitis C, la gripe, el SARS o el MERS (dos enfermedades causadas por otros virus corona). Están diseñados para bloquear la reproducción de los virus o evitar que entren en las células pulmonares. También se está probando un antiguo medicamento contra el paludismo, cuya eficacia contra los virus se descubrió recientemente.

- **inmunomoduladores,** que se han desarrollado, por ejemplo, contra la artritis reumatoide o las enfermedades inflamatorias del intestino. Están diseñados para limitar las reacciones defensivas del cuerpo de tal manera que no causen más daño que los propios virus.

- **Medicamentos para pacientes pulmonares**, que se han desarrollado, por ejemplo, para tratar la fibrosis pulmonar idiopática. Su objetivo es evitar que los pulmones del paciente ya no puedan suministrar suficiente oxígeno a la sangre.

Para obtener más información sobre los "Proyectos en curso sobre drogas terapéuticas", visite: https://www.vfa.de/de/arzneimittel-forschung/woran-wir-forschen/therapeutische-medikamente-gegen-die-coronavirusinfektion-covid-19.

5.4 Auto-terapia para el coronavirus

En caso de una posible infección, no se debe recurrir en ningún caso a la auto-terapia, sino ponerse en contacto con un médico por teléfono y discutir el comportamiento.

No hay medicamentos contra el coronavirus con los que se pueda tratar la enfermedad en sí. Los afectados que están en cuarentena y sufren los síntomas típicos pueden recurrir a los remedios convencionales para el resfriado para aliviar los síntomas.

Las sustancias que tienen un efecto calmante en las vías respiratorias, como los extractos de hiedra, tomillo o malva, ayudan a la tos. Los jarabes herbales para la tos también tienen un efecto expectorante. Inhalar sobre un recipiente lleno de agua salada caliente también es un método probado. También es importante la ingesta suficiente de líquidos, por ejemplo, bebiendo un sorbo de agua caliente. Las bebidas con gas deben evitarse porque irritan la garganta. Un tratamiento médico para la tos es un aerosol que contiene un poco de cortisona, que sólo debe utilizarse temporalmente, y medicamentos como la codeína o la paracodeína. Sin embargo, sólo se utilizan para la tos grave. El hecho de evitar el tabaco, la ventilación regular y la alta humedad del aire también alivian la irritación de la tos.

La fiebre es otro síntoma de Covid-19, y en general, a partir de 37,5 grados centígrados la temperatura corporal se llama temperatura elevada, a partir de 38,0 grados es fiebre. Esta es una reacción del cuerpo que debilita los patógenos dañinos. Porque estos se sienten menos cómodos en el cuerpo por encima de los 38 grados.

Para que el cuerpo pueda concentrarse plenamente en el sistema inmunológico, se recomienda una dieta ligera y, como en el caso de la tos, un amplio suministro de líquidos. Si tienes fiebre, debes quedarte en la cama y esperar a que pase en lugar de recurrir a la medicación. Los médicos desaconsejan el autotratamiento con aspirina, por ejemplo. Los que toman medicamentos y se sienten mejor siguen siendo infecciosos. El primer brote de Sars-CoV-2 en Baviera fue causado por una mujer china que se trató ella misma el dolor de espalda con un fármaco antifebril, por lo que no se notó la infección.

Además de tratar la enfermedad, los pacientes en cuarentena domiciliaria deben medir la fiebre dos veces al día y llevar un diario de síntomas, según la Cruz Roja. Sin embargo, la medida más importante en caso de enfermedad es evitar absolutamente los contactos sociales. No se les permite salir del hogar y sólo pueden recibir visitas para recibir tratamiento médico.

Los consejos y los rumores sobre la influencia de ciertas drogas en la infección por coronavirus están causando incertidumbre en la actualidad. Esta es la opinión de los investigadores y los médicos sobre el efecto del paracetamol, el ibuprofeno, etc. Además del ibuprofeno, el ácido acetilsalicílico (ASS; aspirina) y el diclofenaco pertenecen a este grupo de drogas. Al mismo tiempo, se difundió en las redes sociales la noticia de que el ibuprofeno aumenta la susceptibilidad a la infección por coronavirus. Esto fue descubierto por investigadores del Hospital Universitario de Viena. La universidad se desvinculó de esta noticia y escribió en Twitter sobre un mensaje falso.

6. Efectos del coronavirus

6.1 Efectos positivos

6.1.1 Efectos generales

La propia salud es más apreciada. Para evitar la infección, la gente se adhiere más estrictamente a las reglas de conducta como:

- Lávese las manos a fondo y con regularidad,
- mantener la mayor distancia posible con sus compañeros,
- renuncia al apretón de manos
- Toser y estornudar en el codo de tu brazo en vez de en las palmas de tus manos.

Encontramos otra observación positiva en la ayuda del vecindario, por ejemplo poniendo comida frente a la puerta para la persona infectada.

6.1.2 Impacto ambiental

Reducir las emisiones de CO2

Hay que reconocer que aún no existe un estudio serio que lo demuestre. Pero la lógica tiene sentido: Debido a que numerosas aerolíneas están cancelando sus vuelos por el coronavirus, y todos estamos viajando menos en la actualidad, se está soplando a la atmósfera menos CO_2 que perjudica al clima. A esto se añade el efecto de las pérdidas de producción en la industria. Las imágenes satelitales de China ya muestran que la contaminación por smog alrededor de Beijing, por ejemplo, ha disminuido drásticamente debido a que numerosas fábricas han sido cerradas.

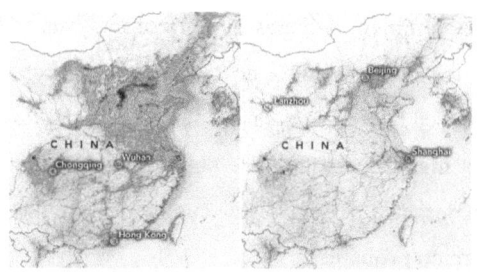

6.1.3 Implicaciones políticas

La cooperación internacional está aumentando. Los investigadores trabajan juntos en todo el mundo para encontrar soluciones

El hecho de que un virus llegue tan rápidamente a todos los continentes, también como resultado de una sociedad y una economía enormemente interconectadas a nivel mundial, nos enfrenta a los lados oscuros de la globalización. Los científicos de todo el mundo pueden investigar para encontrar soluciones -como una vacuna contra el SARS-CoV-2 o drogas para reducir los síntomas- y, gracias a la Internet, compartir sus conclusiones con colegas de todo el mundo en tiempo prácticamente real.

El Instituto Robert Koch trabaja en estrecha colaboración con muchas organizaciones internacionales, por ejemplo con el ECDC y la OMS. Los científicos de la RKI participan en muchos proyectos y programas internacionales con el objetivo de vigilar e investigar los patógenos, contener las epidemias y ampliar la capacidad de los laboratorios en los países asociados.

6.2 Efectos negativos

6.2.1.Efectos generales

El pánico y el miedo están muy extendidos: Acumulación de compras

Mucha gente tiene miedo del coronavirus y trata de conseguir un suministro. En principio, siempre es bueno tener algo de comida enlatada, papel higiénico y pasta en casa.

41

Sin embargo, también es cierto que el coronavirus todavía no ha sido un desastre. Así que los consumidores no tienen que comprar reservas, como el gobierno federal planea hacer en tal caso. Incluso en China o en el norte de Italia, donde hay muchas más infecciones que en Alemania, los gobiernos todavía no han declarado un desastre. Además, un cuello de botella en el suministro de alimentos es muy poco probable.

6.2.2 Efectos demográficos

La tasa de mortalidad aumenta

El nuevo coronavirus Sars-CoV-2 es más mortal que la gripe, dijo Lothar Wieler, Presidente del Instituto Robert Koch, el jueves (27 de febrero). Sin embargo, dijo que sólo se podría decir en qué medida la tasa de mortalidad sería realmente más alta después del fin de la epidemia. El coronavirus es especialmente peligroso para las personas mayores, sobre todo si no se toman precauciones de seguridad. Christian Drosten, virólogo jefe de la Charité, teme una tasa de mortalidad de hasta el 25 por ciento en el grupo de edad de 65 años y más.

6.3 Repercusiones económicas

Las reservas y el petróleo se vuelven más baratos

El virus de la corona ha causado una gran incertidumbre en los mercados financieros, los precios de muchas acciones e índices bursátiles como el Dax han caído bruscamente en los últimos días. El 9 de marzo hubo pánico en los mercados de valores del mundo como resultado del coronavirus. Además, el precio del petróleo se desplomó en un 25% en un día después de que la OPEP no pudiera acordar una reducción de los volúmenes de producción junto con Rusia. Arabia Saudita también anunció una guerra de precios, lo que ejerció una enorme presión sobre el precio del petróleo. Esta fue la mayor caída de los precios del petróleo desde la Guerra del Golfo en 1991. Los inversores temen una recesión global causada por el virus de la corona: la caída de las acciones y del petróleo el Lunes Negro: ¿comprar o vender ahora?

Sin embargo, su hora golpea a los que quieren invertir en acciones. Ahora es el momento de entrar en el mercado de valores.

Otro efecto positivo del mercado financiero es para las personas que calientan con aceite. Esto se debe a que la disminución de la producción en China está reduciendo la demanda mundial de petróleo. Como resultado, los precios del crudo han caído casi un diez por ciento en el último mes. Por lo tanto, el reabastecimiento de combustible vale la pena ahora.

7. Trivialidades

7.1 Teorías de conspiración

La propagación del coronavirus va acompañada de teorías de conspiración en todo el mundo.

7.1.1. La corona fue patentada para ganar dinero con la erupción

Algunas personas ingeniosas han descubierto patentes de virus corona en Internet. Rápidamente se extendió el rumor de que el virus fue desarrollado en el laboratorio y distribuido deliberadamente en China para vender la vacuna a un precio elevado.

Hay patentes sobre los virus corona, pero no sobre el tipo de virus que ha estallado en China. Esto fue explicado por el virólogo Matthew Friemand en una entrevista con el sitio web factcheck.org. Las patentes serían sobre una secuencia genética del virus que se descubrió durante el brote de SARS en 2003. Otra patente sería para una mutación que sólo afecta a las aves de corral.

7.1.2. La corona ha salido del laboratorio de Wuhan

Incluso se dice que Corona escapó del laboratorio en la ciudad china de Wuhan. Al menos eso es lo que un ex agente del servicio secreto israelí afirma en el periódico americano "Washington Times". De hecho, el laboratorio nacional de bioseguridad de China está situado en Wuhan.

El laboratorio de nivel 4 podría haber estado trabajando con el virus. Según la Ordenanza sobre sustancias biológicas, se permite trabajar en ella con sustancias biológicas que pueden causar enfermedades graves en los seres humanos y suponer un grave riesgo para los empleados. Estos incluyen, teóricamente, el Ébola, el SARS, pero también la Corona. Sin embargo, se sigue suponiendo que el peligroso virus se origina en el mercado de vida silvestre de Wuhan. Sin embargo, no hay ninguna prueba fiable de esto.

7.1.3 Bill Gates es responsable del brote de coronavirus

Algunas curiosas teorías de conspiración también pusieron al multimillonario Bill Gates (64) en el punto de mira. Se dice que el Instituto Inglés Pirbright tiene patentes sobre el virus de la corona, que ya está causando compras de hámster en la zona del Ruhr. Este instituto está apoyado por la Fundación Bill y Melina Gates. Ahora se dice en algunos foros que Gates debería beneficiarse del brote del virus corona.

Los empleados del sitio Politifact.com han rastreado esta teoría de la conspiración - y descubrieron: No se puede establecer una conexión entre Bill Gates como persona y las patentes del instituto. Dicen: "En todo caso, demuestran que la fundación apoya a las instituciones que trabajan para prevenir epidemias".

7.1.4 Leyenda antisemita

En muchas teorías de conspiración, se esboza un escenario según el cual algunos poderosos maestros titiriteros de fondo controlaban la política internacional y también usaban armas biológicas, a menudo acusando a los judíos en el proceso. Como en este caso: El analista iraquí dijo que la familia judía Rothschild o un "lobby sionista" estaba detrás de la supuesta conspiración.

En Rusia e Irán se volvieron a propagar los rumores de que la epidemia era un ataque de los Estados Unidos con armas biológicas. Sin embargo, en los Estados Unidos, los teóricos de la conspiración de la derecha y los activistas contra las vacunas afirman que el fundador de Microsoft, Bill Gates, y los demócratas están involucrados en el brote.

8. Lista de fuentes

https://www.dzif.de/de/glossar/coronavirus

https://de.wikipedia.org/wiki/SARS-CoV-2

https://www.barmer.de/gesundheit-verstehen/krankheiten-a-z/coronavirus-224636

https://www.focus.de/gesundheit/news/in-l-typ-und-s-typ-coronavirus-ist-bereits-mutiert-virologe-drosten-sieht-studie-kritisch_id_11742595.html

https://www.barmer.de/gesundheit-verstehen/krankheiten-a-z/coronavirus-224636

https://www.lungenaerzte-im-netz.de/krankheiten/covid-19/was-ist-covid-19/

https://www.rki.de/DE/Content/InfAZ/N/Neuartiges_Coronavirus/Steckbrief.html#doc13776792bodyText1

https://www.deutsche-familienversicherung.de/ratgeber/artikel/coronavirus-symptome-verlauf-behandlung/

https://www.aekwien.at/coronavirus

https://www.rki.de/DE/Content/Kommissionen/Stakob/Stellungnahmen/Stellungnahme-Covid-19_Therapie_Diagnose.pdf?__blob=publicationFile

https://www.medinlive.at/wissenschaft/diskussion-um-selbsttherapie-bei-corona-infektion

https://www.derstandard.de/story/2000115678028/richtiges-verhalten-in-heimischer-quarantaene

https://www.dgiin.de

https://www.verbraucherzentrale.de/aktuelle-meldungen/gesundheit-pflege/coronavirus-wie-sie-sich-schuetzen-und-wer-sich-testen-lassen-sollte-45054

https://www.bundesgesundheitsministerium.de/coronavirus.html#c17549

https://www.einfachbewusst.de/2020/03/positive-aspekte-coronavirus-krise/

Zeitfracht Medien GmbH
Ferdinand-Jühlke-Straße 7
99095 Erfurt, Deutschland
produktsicherheit@kolibri360.de

Druck:
CPI Druckdienstleistungen GmbH
im Auftrag der
Zeitfracht Medien GmbH
Ein Unternehmen der Zeitfracht - Gruppe
Ferdinand-Jühlke-Str. 7
99095 Erfurt

Zeitfracht Medien GmbH
Ferdinand-Jühlke-Straße 7
99095 Erfurt, Deutschland
produktsicherheit@kolibri360.de

Druck:
CPI Druckdienstleistungen GmbH
im Auftrag der
Zeitfracht Medien GmbH
Ein Unternehmen der Zeitfracht - Gruppe
Ferdinand-Jühlke-Str. 7
99095 Erfurt